JE DÉCOUVRE . . .
LE MONDE MERVEILLEUX
DES ANIMAUX

LE RENARD
ROUX

Merebeth Switzer

Grolier Limitée
MONTRÉAL

CHEF DE LA PUBLICATION		Joseph R. DeVarennes
DIRECTEUR DE LA PUBLICATION		Kenneth H. Pearson
CONSEILLERS	Roger Aubin	Jean-Pierre Durocher
	Gilles Bertrand	Gaston Lavoie
RÉDACTRICES EN CHEF		Anne Minguet-Patocka
		Valerie Wyatt
CONSEILLERS POUR LA SÉRIE		Michael Singleton
		Merebeth Switzer
RÉDACTION	Sophie Arthaud	Catherine Gautry
	Charles Asselin	Ysolde Nott
	Marie-Renée Cornu	Geoffroy Menet
	Michel Edery	Mo Meziti
SERVICE ADMINISTRATIF	Kathy Kishimoto	Alia Smyth
	Monique Lemonnier	William Waddell
COORDINATRICE DU SERVICE DE RÉDACTION		Jocelyn Smyth
CHEF DE LA PRODUCTION		Ernest Homewood
RECHERCHE PHOTOGRAPHIQUE		Don Markle
		Bill Ivy
ARTISTES	Marianne Collins	Greg Ruhl
	Pat Ivy	Mary Théberge

Ouvrage pour la jeunesse recommandé par le Cercle des Jeunes Naturalistes du Québec.

Données de catalogage avant publication (Canada)

Dingwall, Laima, 1953-
   La loutre de rivière / Laima Dingwall. Le renard roux / Merebeth Switzer.—

(Je découvre—le monde merveilleux des animaux)
Traduction de: River otters. Red fox.
Comprend des index.
ISBN 0-7172-1963-1 (loutre de rivière). — ISBN 0-7172-1964-X (renard roux).

1. Renard roux—Ouvrages pour la jeunesse.   2. Loutres—Ouvrages pour la jeunesse.
I. Switzer, Merebeth. Le renard roux.   II. Titre.   III. Titre: Le renard roux.   IV. Collection.

QL737.C25D5614 1986   j599.74'442   C85-090810-8

Dépôt légal, 1er trimestre 1986
Bibliothèque nationale du Québec

Savez-vous . . .

Dans de nombreuses fables et histoires, le renard est un animal rusé, sournois, de nature fourbe. C'est lui qui sème la discorde, comme dans *Pinocchio,* ou abuse de la naïveté des autres, comme dans plusieurs fables de La Fontaine.

En réalité, les renards ne méritent pas cette mauvaise réputation. Leurs ruses ne sont que des moyens pour survivre, se nourrir ou fuir leurs ennemis.

Si vous voulez en savoir plus sur un renard très intelligent, le renard roux, tournez la page.

Un animal timide, habile, intelligent…
et si beau!

Rencontre avec le renardeau roux

Les renardeaux roux adorent jouer. Ils mâchent,
tirent et se disputent les os, les plumes ou les
bouts de bois que leur rapporte leur mère
en cadeaux.

Bien que tout petits, les renardeaux poussent
des cris perçants. Ils ne savent pas encore
qu'un bon chasseur est avant tout un chasseur
silencieux. Pourtant, ces jeux bruyants les
initient déjà à la vie de chasseur car ils leur
apprennent à saisir et à immobiliser une proie.
Ces leçons leur seront précieuses lorsqu'ils
devront chasser tout seuls.

*Grâce à leurs grandes oreilles, les
renards, même tout jeunes, peuvent
entendre une souris couiner à 90
mètres de distance.*

6

Renard roux

Coyote

Loup

La famille du renard

Vous ne serez pas surpris d'apprendre que le renard roux est apparenté à de nombreux autres renards: le renard arctique, le renard véloce, le fennec, le renard nain et le renard gris. Mais saviez-vous qu'il fait partie de la même famille que le loup gris, le coyote et les chiens?

Le renard roux est, parmi les renards, celui qui est le plus répandu. On le rencontre dans presque toute l'Amérique du Nord, en Europe, dans une très grande partie de l'Asie et même dans certaines régions d'Afrique du Nord, du Japon et de l'Inde.

Régions d'Amérique du Nord où l'on rencontre le renard roux.

Le renard et les pionniers

Lorsque les pionniers arrivèrent en Amérique du Nord, ils défrichèrent les terres pour les cultiver. Fuyant la présence des êtres humains, de nombreux animaux sauvages se retranchèrent dans des régions reculées. Le renard roux, lui, resta. Les espaces découverts, les pâturages et les champs cultivés aménagés par les pionniers constituaient un merveilleux territoire de chasse, regorgeant de souris et de petits animaux. Les renards trouvèrent également des terriers de marmottes abandonnés, dans lesquels ils s'installèrent pour élever leur famille, et des réserves de bois accumulées par les bûcherons qui les protégèrent de la neige et des vents d'hiver. C'est ainsi que les pionniers créèrent un habitat idéal pour les renards.

11

Un petit animal

Le renard roux pèse à peu près autant qu'un petit chien et n'est guère plus grand qu'un limier comme le basset-hound. Sa belle queue touffue est presque aussi longue que le reste de son corps.

Le mâle est généralement plus grand que la femelle. Les renards roux qui habitent dans les régions nordiques sont aussi plus gros que ceux des régions méridionales. Dans le nord, ces kilos supplémentaires protègent le renard contre le froid car son corps ne perd pas sa chaleur aussi vite. Son épaisse fourrure hivernale le fait aussi paraître plus gros.

Ce qui frappe tout de suite chez le renard roux, c'est sa longue queue très touffue.

Un renard pas toujours roux

Le renard roux ne manque pas d'élégance. Avec la fourrure noire qui gaine ses membres, on croirait presque qu'il porte des bas.

Les renards roux sont-ils tous roux? Non. Tous les êtres humains n'ont pas la même couleur de cheveux: certains sont blonds, d'autres bruns, d'autres encore châtains ou roux. Il en est de même chez les renards roux. En fait, il arrive que des renardeaux d'une même portée aient une fourrure de couleur différente.

Bien que le roux soit la couleur la plus répandue, certains renards roux sont noirs ou argentés. Le bout de la queue, la poitrine, le ventre et même les lèvres du renard roux sont souvent de couleur blanche ou chamois. Chez certains, des croix ocres ou noires se dessinent sur le dos et les épaules. Ce sont les renards crucifères.

Dès la fin de l'automne, le renard roux porte déjà son épaisse fourrure d'hiver. Il sera ainsi bien au chaud au moment de la première chute de neige.

Un petit somme dans un talus de neige

Comment feriez-vous pour ne pas avoir froid si vous deviez, comme le renard roux, dormir dehors pendant tout l'hiver? Vous vous muniriez sans doute d'un sac de couchage et de couvertures. Le renard, lui, n'en a pas besoin car il possède une double fourrure. La première épaisseur se compose d'un duvet chaud et laineux qui retient la chaleur du corps, et la deuxième de longs jarres lisses qui le protègent de l'eau et des vents glacés. Quand il fait froid, le renard cherche un endroit à l'abri du vent, un creux au bord d'un talus de neige par exemple. Il s'y pelotonne et rabat sa queue touffue sur ses pattes et son museau. La neige fait office de couverture et permet au renard de ne pas avoir froid.

Brrr... Vous n'aimeriez sans doute pas être pelotonné dans la neige. Enveloppé dans son épaisse fourrure aux poils longs, le renard roux s'y plaît beaucoup, en revanche.

16

Sur les traces du rôdeur

Le renard roux chasse tout l'hiver.
Il peut rôder pendant plusieurs
heures toutes les nuits, en quête de
nourriture. En hiver, s'il avait froid
aux pattes, il ne pourrait pas
chasser pour assurer sa subsistance.
Mais cela ne lui arrive pas, car il a
de la fourrure entre les orteils.
Cette fourrure permet également à
l'animal d'avoir une meilleure prise
sur la neige, la glace et le
givre. Si vous découvrez des
empreintes de renard, regardez-les
attentivement car il est possible que
les poils de la fourrure aient laissé
des traces.

*La neige n'est pas un obstacle
lorsqu'on a les doigts gantés de
fourrure.*

À malin, malin et demi

Certains animaux grimpent aux arbres pour échapper à leurs ennemis. Le renard roux, lui, fait appel à d'autres ruses pour se tirer d'affaire.

Il entraîne son assaillant dans une course à travers un tas de fumier, le long de troncs d'arbres en parfait équilibre ou dans un champ de framboises. Chaque poursuite prend une allure différente: une fois, le renard se jette dans un étang et y nage brièvement, une autre fois il traverse une route à toute vitesse. Si vous étiez à la place d'un ours, n'abandonneriez-vous pas cette folle course d'obstacles?

C'est connu: le renard roux sait déjouer tous ceux qui le poursuivent, même les êtres humains. Ce sont sans doute les moyens qu'il utilise pour fuir ses ennemis qui lui ont valu sa réputation d'animal rusé, malin et habile.

Le renard possède plus d'un tour dans son sac pour déjouer ceux qui le poursuivent.

Pistes de renard

Tout est bon

Si le renard a si bien survécu, c'est sans doute parce qu'il mange à peu près n'importe quoi. Ses mets préférés sont les lapins, les souris, les campagnols et autres petits rongeurs, mais il se nourrit également d'insectes, d'escargots et d'autres aliments qu'il trouve sur son chemin. S'il tue un gros animal, il lui arrive d'enfouir le morceau qu'il ne mange pas sur-le-champ, en prévision d'un prochain repas. Quand la viande est rare, le renard mange aussi des fruits sauvages, des bleuets ou des pommes par exemple.

Le renard roux peut flairer un campagnol des champs même lorsque celui-ci est en train de creuser une galerie sous la neige.

Ami ou ennemi?

Les renards font parfois des ravages dans les basses-cours: ils y mangent poules et dindes et dérobent des œufs. C'est pourquoi ils ont mauvaise réputation chez les fermiers. Les renards aident pourtant les agriculteurs en les débarrassant des souris et d'autres petits animaux qui dévorent les récoltes et endommagent le grain déjà entreposé.

25

À la recherche d'indices

Pour chasser, le renard se sert de sa vue, de son ouïe et de son odorat très sensibles. Un lapin qui bouge dans une touffe d'herbe et le bruit d'une souris qui file à toute vitesse dans une galerie souterraine, l'odeur d'un oiseau tapi dans un buisson sont autant d'indices dont dispose le renard pour chasser ses proies.

Quand il capture une souris, le renard roux agit comme un chat: il bondit sur sa proie et la cloue au sol avec ses pattes antérieures. Comme le chat encore, le renard, immobile sur son arrière-train, attend longtemps avant de sauter sur sa victime.

Le renard enfouit parfois sa nourriture, en prévision d'un prochain repas.

Un anneau par an

Les dents du renard sont toujours dures et aiguisées grâce à la solide couche d'émail qui y pousse tous les ans. Ces couches d'émail nous renseignent sur l'âge de l'animal. Vous avez peut-être déjà calculé l'âge d'un arbre en comptant les anneaux d'un tronc coupé. Les hommes de science évaluent de la même manière l'âge d'un renard: ils comptent le nombre de couches d'émail d'une dent tronçonnée, chaque nouvelle couche correspondant à une année d'existence.

En étudiant ainsi des dents de renard, les hommes de science ont conclu que de nombreux renards meurent jeunes, des suites d'une maladie ou tués par des prédateurs. Ceux qui savent chasser et se défendre peuvent vivre jusqu'à 12 ans ou plus.

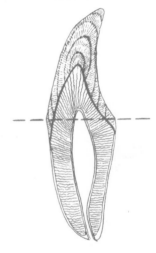

Dent de renard roux

Anneaux d'émail mis en relief par la coupe transversale d'une dent.

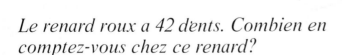

Le renard roux a 42 dents. Combien en comptez-vous chez ce renard?

Propriété privée

Comme les chiens, les renards aboient, glapissent et, plus rarement, hurlent pour se parler.

Les renards, toutefois, ne se transmettent pas toujours des messages en aboyant. Quelquefois, ils le font silencieusement. Comment, demanderez-vous? Un renard mâle urinera contre un tronc d'arbre ou tout autre objet vertical pour indiquer aux autres renards que: « Ce territoire est déjà occupé. »

Si un renard fait fi du message, il doit s'attendre à un combat avec l'occupant du territoire.

En général, le renard le plus faible capitule rapidement, de peur d'être blessé. Couché sur le sol, les oreilles rabattues, il pousse alors un cri qui signifie: «Tu es le maître ».

S'arrêter, regarder, écouter…Le renard est un excellent chasseur qui attend et épie sa proie avant de la capturer.

Le renard et la renarde se rencontrent

Pendant la saison des amours, il arrive que plusieurs renards courtisent la même renarde. Les prétendants essaient alors d'impressionner la femelle en se pavanant. Deux mâles peuvent même se battre pour conquérir une femelle. À l'issue de ces combats, le vainqueur s'accouple avec la renarde. Comme le vainqueur est le plus fort, les petits qui naîtront de cette union hériteront probablement de la force de leur père.

En général, le renard et la renarde passent toute leur vie ensemble. Il arrive qu'un mâle ait plusieurs partenaires, mais souvent il en a une qu'il préfère aux autres.

Le couple de renards occupe un territoire de chasse d'une superficie équivalant environ à celle de 70 pâtés de maisons. S'il n'élève pas de petits, le couple peut partager son territoire avec un autre renard. Par contre, il ne tolère pas la présence d'un étranger lorsqu'il s'occupe de ses précieux renardeaux.

Les renards s'installent souvent à l'entrée de leur tanière pour se prélasser au soleil.

On est bien chez les autres

Quand la naissance des petits approche, le couple se met à la recherche d'une tanière convenable.

Les renards ne sont pas de grands terrassiers. Ils préfèrent occuper des terriers désaffectés, celui d'une marmotte ou d'un blaireau par exemple. La renarde doit parfois se contenter d'une petite caverne, d'un tronc d'arbre creux ou d'un fourré pour installer la pouponnière. Bien qu'elle creuse rarement sa propre tanière, il lui arrive d'agrandir le logis qu'elle trouve et d'y ajouter pièces et entrées. En général, l'une des entrées donne au sud afin que le terrier soit chaud. L'entrée principale est très souvent précédée d'un petit espace découvert, qui servira plus tard de terrain de jeux aux renardeaux.

Les renards utilisent la même tanière plusieurs années de suite. Cependant, ils possèdent généralement d'autres tanières où ils peuvent transporter leurs petits en cas de danger.

Coupe transversale de la tanière d'un renard roux.

Un conjoint attentionné

Pendant que la renarde aménage la
pouponnière, qu'elle tapisse de
feuilles et de brins d'herbe, le
renard lui apporte de la nourriture.
Ce conjoint attentionné doit
cependant laisser les provisions à
l'entrée, car la renarde lui interdit
l'accès de la tanière. La renarde
met de côté des aliments qu'elle
mange après la naissance des petits.

*On rencontre souvent des renards
roux dans les pâturages et les
champs cultivés car ces derniers
regorgent de nourriture.*

37

Bonjour, renardeaux

Peu après s'être installée dans la tanière, la renarde donne naissance à ses petits. La portée compte de quatre à neuf renardeaux. Ces petites boules de duvet brun et laineux sont sans défense et ne pourront ni voir ni entendre pendant dix jours. Au cours de cette période, la vie des renardeaux se résume à dormir et à téter le lait très nourrissant de leur mère.

Pendant ce temps, le renard, qui n'a pas encore vu les renardeaux, rapporte de la nourriture à la mère. Sous peu, toutefois, le père et la mère se partageront la chasse et le soin des petits.

Dès que les renardeaux ouvrent les yeux et commencent à ramper, le renard peut entrer dans la tanière. La mère sort alors pour aller chasser. Mais elle ne s'éloigne jamais vraiment, car ses petits doivent souvent être allaités pendant les premières semaines de leur existence.

Ce renardeau accueille joyeusement sa mère à son retour.

À la découverte du monde

À l'âge d'un mois, les renardeaux sont assez forts pour sortir de la tanière. En découvrant l'éclatante lumière du jour, ils battent violemment des paupières. N'oublions pas qu'ils ont passé plusieurs semaines dans l'obscurité!

La renarde les confine dans l'espace aménagé devant l'entrée principale de la tanière. Encore farouches, les renardeaux s'enfuient au moindre bruit. Il suffit qu'une feuille balaie un peu de poussière pour qu'ils se précipitent dans la tanière. Ils ont d'ailleurs bien raison d'être aussi prudents: un ours ou un oiseau rapace pourrait très bien les épier.

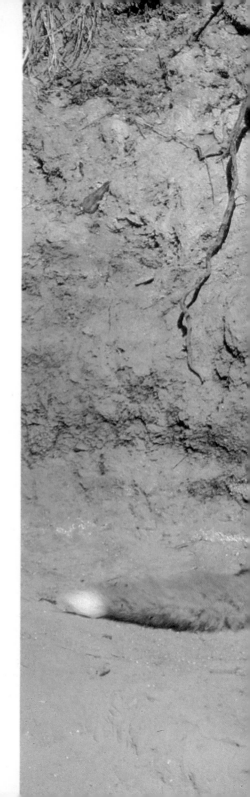

Des purées de viande

Les renardeaux peuvent maintenant commencer à manger de la viande. Mais ils ont encore de trop petites dents et un estomac trop fragile pour avaler de gros morceaux. C'est pourquoi la renarde leur donne de la viande «en purée». Comment fait-elle, vous demanderez-vous? Elle mastique la viande, puis l'avale. Quand les renardeaux lui réclament de la nourriture, elle régurgite la nourriture avalée. Pour les renardeaux, il est plus facile de manger cette viande mastiquée et à moitié digérée. Pour la renarde, il est plus pratique de rapporter à la tanière de la nourriture dans son estomac qu'entre ses dents.

Ces jeunes renards attendent avec impatience le retour de leurs parents.

Jouer, c'est apprendre

Au fil des jours, les jeux des petits deviennent de plus en plus brutaux car ils acquièrent du courage et affrontent avec plus d'audace le monde qui les entoure. C'est en jouant à se battre, à se poursuivre et à se surprendre que les jeunes renards apprennent à chasser.

Pour s'exercer à l'art de la chasse, ils donnent des coups de pattes aux papillons et aux scarabées. Les souris et les campagnols que leurs parents déposent devant eux deviennent des jouets qu'ils se disputent, se lancent et finissent par déchiqueter. Ils apprennent ainsi à reconnaître le genre de proies qu'ils chasseront plus tard.

Les renardeaux grandissent très vite. Au début de l'automne, leur fourrure hivernale d'adulte a déjà poussé et leur taille est environ 75 pour cent de celle de leurs parents. Ils sont aussi en passe de devenir des chasseurs très habiles.

Allez, viens jouer.

Adieux à la famille

Pour la famille de renards, le temps est venu de se disperser. La renarde et le renard sont les premiers à quitter la tanière, l'un après l'autre. Ils ne se reverront qu'au printemps suivant, à la saison des amours. C'est ensuite au tour des renardeaux de partir.

Si la chasse est bonne pendant l'hiver, les renardeaux d'une même portée peuvent vivre assez près les uns des autres. Mais, en général, chaque renardeau prend la route seul, parcourant souvent plus de 50 kilomètres pour trouver son propre territoire de chasse.

Le jeune renard roux ne sera pas seul très longtemps. En janvier, il sera temps pour lui de chercher un partenaire et de fonder une famille.

Glossaire

Accoupler (s')   S'unir pour avoir des petits.

Allaiter   Nourrir les petits de son lait.

Émail   Couche très dure qui recouvre les dents.

Jarres   Poils longs et drus qui composent la couche externe de la fourrure du renard roux.

Portée   Ensemble des renardeaux nés de la même renarde la même année.

Prédateurs   Animaux attaquant d'autres animaux pour s'en nourrir

Proies   Animaux dont se nourrit un animal.

Tanière   Logis du renard.

Téter   Boire le lait de sa mère.

Territoire   Domaine occupé par un animal, ou un groupe d'animaux, et dont il interdit souvent l'accès à des animaux de la même espèce que lui.

INDEX

Couverture: Brian Milne (First Light Associated Photographers)

Crédit des photographies: Bill Ivy, pages 4, 32; Brian Milne (First Light Associated Photographers), 7, 9, 14, 18-19, 23, 27, 28, 30, 36-37, 38, 41, 45; Norman Lightfoot (Eco-Art Productions), 10-11, 20, 24-25; Arthur Savage, 13, 42-43; Wayne Lankinen (Valan Photos), 17.

Imprimé en Espag

JE DÉCOUVRE . . .
LE MONDE MERVEILLEUX DES ANIMAUX

LA LOUTRE
DE RIVIÈRE

Laima Dingwall

Grolier Limitée
MONTRÉAL

CHEF DE LA PUBLICATION		Joseph R. DeVarennes
DIRECTEUR DE LA PUBLICATION		Kenneth H. Pearson
CONSEILLERS	Roger Aubin Gilles Bertrand	Jean-Pierre Durocher Gaston Lavoie
RÉDACTRICES EN CHEF		Anne Minguet-Patocka Valerie Wyatt
CONSEILLERS POUR LA SÉRIE		Michael Singleton Merebeth Switzer
RÉDACTION	Sophie Arthaud Charles Asselin Marie-Renée Cornu Michel Edery	Catherine Gautry Ysolde Nott Geoffroy Menet Mo Meziti
SERVICE ADMINISTRATIF	Kathy Kishimoto Monique Lemonnier	Alia Smyth William Waddell
COORDINATRICE DU SERVICE DE RÉDACTION		Jocelyn Smyth
CHEF DE LA PRODUCTION		Ernest Homewood
RECHERCHE PHOTOGRAPHIQUE		Don Markle Bill Ivy
ARTISTES	Marianne Collins Pat Ivy	Greg Ruhl Mary Théberge

Ouvrage pour la jeunesse recommandé par le Cercle des Jeunes Naturalistes du Québec.

Données de catalogage avant publication (Canada)

Dingwall, Laima, 1953-
    La loutre de rivière / Laima Dingwall. Le renard roux / Merebeth Switzer.—

(Je découvre—le monde merveilleux des animaux)
Traduction de: River otters. Red fox.
Comprend des index.
ISBN 0-7172-1963-1 (loutre de rivière). — ISBN 0-7172-1964-X (renard roux).

1. Renard roux—Ouvrages pour la jeunesse. 2. Loutres—Ouvrages pour la jeunesse.
I. Switzer, Merebeth. Le renard roux. II. Titre. III. Titre: Le renard roux. IV. Collection.

QL737.C25D5614 1986   j599.74'442   C85-090810-8

Dépôt légal, 1er trimestre 1986
Bibliothèque nationale du Québec

Savez-vous . . .

Quel est ce petit animal à fourrure qu'on voit parfois glisser à plat ventre jusqu'au bas d'une colline boueuse, cacher des cailloux sur la rive d'un cours d'eau ou encore jongler avec un morceau de nourriture? Vous avez deviné juste, c'est bien une loutre de rivière.

On peut parfois observer toute une famille de loutres jouant à cache-cache dans l'herbe au bord d'un étang. En hiver, on en voit même qui tentent de remonter une colline enneigée!

Apprendre à connaître les loutres de rivière est presque aussi amusant que d'observer leurs gambades. Lisez donc les pages qui suivent et découvrez ces fascinants petits animaux si espiègles.

Les membres de la famille

La loutre de rivière appartient à la famille des mustélidés. Ses cousins nord-américains comprennent la belette, le vison, le pékan, l'hermine, le blaireau, le carcajou, la mouffette et la martre.

La taille des mustélidés varie considérablement. La belette pygmée n'est pas plus grosse qu'une banane, soit environ 20 centimètres, tandis que la loutre de mer mesure jusqu'à 1,5 mètre de long et pèse autant qu'un enfant de dix ans. La loutre de rivière se situe entre ces deux extrêmes.

Chez les loutres de rivière, le mâle pèse environ huit kilogrammes et mesure un peu plus d'un mètre du bout du museau à l'extrémité de la queue. Les femelles sont un peu plus petites.

Grands ou petits, les mustélidés possèdent deux glandes sous la queue qui sécrètent un liquide odoriférant, le musc. Comme les autres mustélidés, la loutre de rivière utilise ce musc à la saison des amours pour marquer son territoire et quand elle se sent en danger.

Page ci-contre:
Bien qu'elle s'affaire surtout la nuit, la loutre s'aventure parfois hors de son terrier pendant la journée, mais seulement s'il n'y a personne aux alentours.

Au pays de la loutre

On trouve les loutres de rivière dans presque toutes les régions de l'Amérique du Nord, du nord du Canada au sud des États-Unis. La loutre nord-américaine a des cousins un peu partout en Amérique du Sud, en Europe et en Asie.

Les loutres ne vivent pas toutes dans des rivières. Certaines habitent dans les forêts, d'autres vivent dans les régions de prairie ou dans la toundra, d'autres encore en haute montagne. En résumé, les loutres s'adaptent à n'importe quel milieu, du moment qu'il y a de l'eau tout près. Une loutre élit domicile aussi bien près d'un ruisseau que près d'un étang, d'un lac, d'un grand marais ou d'une baie côtière.

Régions d'Amérique du Nord où l'on rencontre des loutres de rivière.

Des mordues de l'eau

La loutre de rivière se sent aussi bien dans l'eau que vous sur la terre ferme. Excellente nageuse, elle utilise plusieurs techniques de natation pour se déplacer dans l'eau. Elle se laisse souvent glisser paresseusement sur le ventre, jouant du pied de temps en temps pour avancer. Quelquefois, elle se retourne sur le dos ou sur le côté et se laisse flotter pendant un petit moment.

Parfois la loutre se déplace à la façon d'un serpent. Elle nage couchée sur le ventre, puis elle plonge et fait surface, replonge et revient à la surface, montrant la tête puis la queue, et ainsi de suite.

Les plaisirs de l'eau.

Suivez le chef

Une famille de loutres joue parfois à "suivez le chef", ce jeu où les enfants doivent imiter tous les gestes d'un joueur désigné. Ainsi, quand une loutre fait un plongeon, la deuxième remonte à la surface, tandis que la troisième plonge et que la dernière émerge de l'eau. À voir ce spectacle ahurissant on croirait observer un grand serpent d'eau.

Une loutre de rivière sous l'eau.

Des loutres jouent à "suivez le chef".

Une championne de la plongée

La loutre plonge sous l'eau pour chercher de la nourriture, échapper à un ennemi, entrer dans son terrier ou simplement pour s'amuser. Elle peut rester sous l'eau quatre minutes et même plus longtemps avant d'être obligée de remonter à la surface pour respirer. Comment fait-elle? Elle ralentit son rythme cardiaque pour consommer moins d'oxygène; la réserve d'oxygène dans ses poumons dure ainsi plus longtemps.

Si une loutre veut aller plus vite sous l'eau, elle replie ses pattes de devant sur sa poitrine, colle ses pattes de derrière contre sa queue, puis fait onduler son corps de haut en bas. En nageant sous l'eau de cette façon, la loutre peut atteindre jusqu'à 11 kilomètres à l'heure.

Une loutre peut se déplacer dans l'eau aussi vite qu'un canoë.

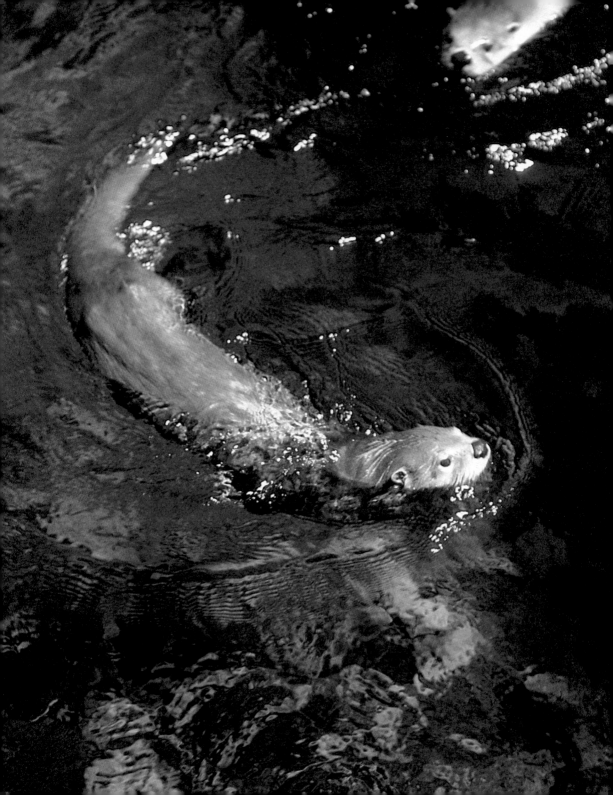

Faite pour la vie aquatique

Le corps de la loutre est bien adapté à la nage et à la plongée. Son corps lisse et fuselé lui permet de se mouvoir rapidement dans l'eau, tandis que ses pieds palmés lui servent à se propulser comme avec des pagaies. Elle utilise surtout ses pattes postérieures, ses pattes de devant restant collées contre son corps.

Quand elle poursuit le poisson sous l'eau, la loutre doit parfois amorcer des virages inattendus. Elle utilise alors sa longue et mince queue comme gouvernail pour changer rapidement de direction.

Patte postérieure

Dans l'eau, la loutre se sert de sa queue aplatie comme d'un gouvernail.

Au sec et au chaud

La loutre a une fourrure lisse qui est non seulement chaude mais aussi imperméable. Son pelage compte en fait deux épaisseurs. La couche externe se compose de poils protecteurs longs et raides et la couche interne d'un duvet court qui retient la chaleur du corps.

Le nez et les oreilles de la loutre aussi sont à l'épreuve de l'eau. Son nez noir et large est muni de plis de peau qui se rabattent automatiquement sur les narines quand elle plonge. Ses petites oreilles arrondies sont aussi à l'abri de l'eau. Celles-ci sont en effet munies d'un « protège-tympan » naturel, membrane qui se referme sur l'oreille interne pour empêcher l'eau d'y pénétrer.

La fourrure externe de la loutre de rivière est presque imperméable.

Une sprinteuse remarquable

À première vue, la loutre donne l'impression d'être gauche et maladroite sur la terre ferme. Bien que courtes et massives, ses jambes sont puissantes. En fait, la loutre galope si vite qu'elle peut battre un homme à la course sur une courte distance.

En général, cependant, la loutre se traîne sur la berge du ruisseau, de la rivière ou du lac où elle demeure. Elle cherche sa nourriture aussi bien sur la terre ferme que dans l'eau. L'étendue de son territoire de chasse dépend de la quantité de nourriture qu'elle peut y trouver. Si la nourriture est peu abondante, le territoire de la loutre sera grand. S'il y a beaucoup de nourriture, il sera plus petit.

Une loutre doit parfois parcourir des kilomètres pour trouver de la nourriture.

Un solide appétit

Au point de vue nourriture, la loutre de rivière n'est pas très tatillonne. Sur le sol, elle se nourrit de petits animaux: rats musqués, musaraignes et jeunes castors, par exemple. Mais c'est surtout dans l'eau qu'elle trouve sa pitance. Une loutre se repaît de tout ce qui nage ou flotte: poissons, grenouilles, têtards, tortues, insectes et même canards et autres oiseaux aquatiques. Ce qu'elle préfère par-dessus tout, cependant, sont les écrevisses qui vivent au fond des rivières et des étangs.

Pour trouver des écrevisses et d'autres animaux aquatiques, la loutre plonge jusqu'au fond de l'eau et fait la chandelle. Puis elle enfonce le museau dans les anfractuosités, sous les roches, et même dans la boue. Les poils raides de ses moustaches tâtonnent dans les coins et recoins jusqu'à ce qu'ils touchent quelque chose. Les nerfs situés au bout des moustaches envoient alors un signal au cerveau et la loutre n'a plus qu'à creuser pour saisir sa proie.

La loutre se nourrit habituellement deux fois: juste après le crépuscule et avant l'aube.

Les moustaches de la loutre font partie intégrante de son attirail de pêche.

Un animal gourmet

Jamais on ne verra une loutre faire la gloutonne. Après avoir capturé sa proie, elle l'emporte jusqu'à la rive, en la tenant délicatement dans la gueule ou entre les pattes de devant. Puis, elle en prend de petites bouchées qu'elle mâche lentement jusqu'à ce que la nourriture soit finement broyée. Cela est nécessaire parce que la loutre a la gorge étroite. Si la nourriture n'était pas bien triturée, la loutre pourrait s'étrangler.

Une loutre adulte peut consommer jusqu'à 1,5 kilogramme de nourriture par jour, ce qui représente environ 12 gros hamburgers.

Pour une loutre affamée rien de meilleur qu'un crabe tout frais.

Un chez-soi confortable

La loutre sommeille presque toute la journée dans un terrier abandonné, celui d'un castor, d'un rat musqué ou d'un autre animal. Ce terrier se situe parfois entre deux rochers sur la rive ou entre les racines d'un arbre mort. La loutre peut aussi élire domicile au bord d'un marais parmi les quenouilles.

Une fois installée dans son terrier d'emprunt, la loutre s'applique à l'aménager à son goût. Elle tapisse le sol de feuilles mortes, de bouts d'écorce ou de mousse pour se faire un lit confortable. Parfois elle creuse une chambre séparée qui lui servira de cabinet de toilette. D'habitude, elle prend soin de ménager deux issues, l'une sous l'eau et l'autre au niveau du sol. Ainsi, elle peut toujours s'échapper par l'une de ces sorties si un ennemi pénètre dans son terrier par l'autre.

Comme la plupart d'entre nous, les loutres aiment de temps en temps se prélasser au soleil.

La vie sous la glace

Parce que les loutres ne se montrent au grand air que pendant les journées douces de l'hiver, les savants ont longtemps cru qu'elles dormaient pendant la plus grande partie de la saison froide. Il n'est pas étonnant que les savants se soient trompés. En effet, bien que les loutres s'affairent pendant tout l'hiver, elles passent beaucoup de temps sous la glace et la neige. On ne les voit par conséquent qu'en de rares occasions.

Quand les rivières et les étangs gèlent, la loutre peut continuer de pêcher sous la glace. Elle remonte respirer à la surface, là où il y a des trous dans la glace, ou trouve l'oxygène dont elle a besoin dans les poches d'air emprisonnées sous la glace. Après une excursion de pêche, la loutre regagne son terrier chaud et douillet.

La loutre n'éprouve aucune difficulté à cheminer sur la glace. En effet, les touffes de poils qui lui poussent entre les orteils l'empêchent d'avoir froid aux pieds et de déraper.

Page ci-contre:
L'hiver se prête bien aux voyages sur la terre ferme.

Ainsi parlent les loutres

Si au cours d'une promenade près d'un étang ou au bord d'une rivière vous entendez une sorte de toux bruyante, il se peut qu'une loutre, sous l'effet de la surprise ou de la peur, ait soufflé par le nez. C'est peut-être sa façon à elle de se déboucher les narines pour mieux humer l'air ou d'avertir ses compagnes d'un danger imminent.

On ne peut se méprendre sur le bruit que fait une loutre en colère, surtout quand elle fait face à un ennemi comme un lynx ou un autre grand félin. La loutre ouvre grand la gueule pour montrer ses fortes dents et pousse de grands cris. C'est sa façon de dire à l'ennemi: «Attention ou je mords!» La plupart des animaux prennent cette menace au sérieux et battent en retraite. Dans le cas contraire, la loutre est prête à se battre férocement pour se défendre.

En temps normal, la loutre se contente de glousser doucement: «heu! heu! heu», ou de pépier comme un oiseau: «cui! cui! cui!»

Au jeu!

On ne peut s'empêcher de sourire quand on regarde une loutre jouer. Elle semble tellement s'amuser!

On voit à l'occasion la loutre jongler avec des cailloux, des brindilles ou des coquilles qu'elle a ramassés. On peut même la surprendre portant une feuille en équilibre sur son nez. Quelquefois, la loutre plonge au fond d'un étang, ramasse une pierre, remonte à la surface et joue avec sa pierre en se laissant flotter sur le dos.

Si elle laisse tomber la pierre la loutre ne s'arrête pas de jouer pour autant. Elle plonge sous l'eau pour la retrouver. Elle se laissera peut-être distraire en chemin par un poisson qu'elle poursuivra pendant un bout de temps. Ou elle s'amusera à tourner en rond en pourchassant sa propre queue.

Il y a peu d'animaux aussi espiègles que la loutre.

33

La famille s'amuse

Les loutres s'amusent comme des petites folles à leurs réunions de famille. Elles se pourchassent sur la rive et même dans l'eau, se bousculent et se roulent sur le sol. Parfois elles se laissent glisser jusqu'au bas d'une pente boueuse ou d'une colline herbeuse, les pattes de devant bien raides. Pour ces parties de glissade les loutres préfèrent les collines situées près d'une rivière. Une glissade peut alors se terminer dans un grand plouf.

Les loutres aiment tellement faire des glissades qu'elles tentent d'en faire même sur un terrain plat. Elles font alors trois petits sauts suivis d'une longue glissade.

Les loutres adorent se laisser glisser sur le ventre jusqu'au bas d'une pente enneigée à la manière d'une luge. Parfois une famille de loutres s'amuse à jouer à une version hivernale du jeu de cache-cache. Ainsi, pendant qu'une loutre creuse une galerie dans la neige épaisse, une autre enfonce son nez dans la neige pour découvrir la cachette de sa compagne de jeu.

La saison des amours

Les loutres s'accouplent vers la fin de l'hiver ou au début du printemps. Quand vient le temps des amours, le mâle sécrète du musc dans les deux glandes qu'il a sous la queue. Il répand ce liquide parfumé sur son territoire. C'est sa façon d'attirer des femelles et de prévenir les autres mâles de garder leurs distances. La femelle aussi laisse une odeur de musc pour avertir les mâles qu'elle est prête à s'accoupler.

Quand un mâle s'est trouvé une compagne, les deux loutres jouent ensemble, se pourchassent dans l'eau et sur la rive, roulent sur le sol et tournent sur elles-mêmes. Le couple se sépare après l'accouplement. Mais bien que les deux loutres ne vivent pas ensemble, le mâle ne s'éloigne jamais beaucoup du terrier de sa compagne.

Bébé loutre vient au monde

La mère loutre transforme son terrier en une pouponnière en tapissant le sol de feuilles mortes et de brins d'herbe tendre. En général, elle met au monde deux ou trois petits au début du printemps, mais il arrive qu'il y ait jusqu'à cinq petits dans une portée.

À la naissance, la petite loutre est minuscule, à peu près de la taille d'un chaton. Elle pèse un peu plus de 100 grammes et mesure à peine 30 centimètres, du bout du museau à l'extrémité de la queue. Elle est couverte d'une mince et douce fourrure et porte de courtes moustaches autour du nez.

Les nouveau-nés sont sourds et aveugles parce que leurs yeux et leurs petites oreilles arrondies sont scellés. Ils ne s'ouvrent qu'environ 35 jours après la naissance.

On doit parfois s'étirer pour bien voir le paysage.

La vie dans le terrier et hors du terrier

Les petites loutres passent les premières semaines de leur vie dans le terrier. Quand elles ne tètent pas leur mère, elles dorment, entassées les unes sur les autres, ou font semblant de se battre.

C'est seulement à la tombée de la nuit que la mère loutre quitte ses petits pour se nourrir. Mais elle reste toujours à portée de voix et rentre au terrier le plus vite possible.

Quand ses petits ont environ trois mois, la mère leur permet de s'aventurer hors du terrier. Les petites loutres pèsent alors près de 1,5 kilogramme.

Elles sortent du terrier en titubant et mettent leurs jambes à l'essai. Elles ont de la difficulté à courir. Leurs jambes sont si faibles et si chancelantes qu'elles trébuchent, roulent sur le côté et tombent les unes sur les autres.

Leçons de natation

Dès que les petites loutres quittent le terrier, leur mère leur apprend avant tout autre chose à nager. Ce n'est pas une mince tâche. Le plus difficile est de convaincre les petits de s'aventurer dans l'eau.

Parfois la mère loutre les y encourage en les poussant doucement avec son nez. D'autres fois elle nage quelques minutes dans l'étang et pépie pour dire à ses petits de la suivre. Souvent ceux-ci ne veulent rien entendre; ils restent sur la rive et ne veulent pas se mouiller. Alors la mère n'a pas d'autre choix que de les attraper par la peau du cou l'un après l'autre, de les emporter jusqu'au milieu de l'étang et de les jeter à l'eau. Au début, les petites loutres se contentent de flotter de-ci de-là, mais elles apprennent vite à nager.

Deux petites loutres dans leur élément naturel.

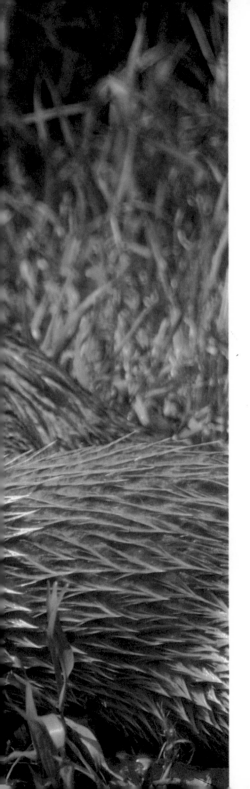

Des élèves qui apprennent vite

Au bout de quelques jours, les petites loutres se sentent tellement à l'aise dans l'eau qu'elles peuvent suivre leur mère au cours de ses plongées. Elles l'observent pendant qu'elle se sert de ses pattes et de ses moustaches pour explorer le fond de l'étang à la recherche d'écrevisses et d'autres délices. Elles tâchent aussi de l'imiter quand elle poursuit le poisson. Les petites loutres apprennent vite et elles sont bientôt en mesure d'attraper leurs proies elles-mêmes.

45

Une grande famille heureuse

À l'automne, les jeunes loutres ont six mois et sont presque aussi grosses que leur mère.

Jusqu'à cet âge c'est leur mère qui les élève. C'est alors que le mâle rejoint la femelle pour l'aider à s'occuper des petits.

La famille de loutres passe l'automne et l'hiver ensemble. Au printemps, les jeunes loutres se séparent de leurs parents, mais elles ne s'en éloignent pas beaucoup. En général, elles aménagent leurs terriers tout près de leur première demeure. Elles trouvent toujours ainsi beaucoup de loutres dans le voisinage pour s'amuser.

Glossaire

Accoupler(s') S'unir pour avoir des petits.

Marais Nappe d'eau stagnante peu profonde recouvrant un terrain plat.

Musc Liquide très odoriférant sécrété par la loutre et servant à marquer son territoire et à attirer les loutres de sexe opposé.

Narines Orifices par lesquels l'air pénètre dans le nez.

Terrier Abri creusé par certains animaux.

Territoire Région où un animal vit seul ou en groupe et qu'il défend souvent contre des animaux de la même espèce.

Téter Se nourrir du lait maternel.

Toundra Région sans arbres de la zone arctique.

INDEX

Couverture: Brian Milne (Valan Photos)
Crédit des photographies: Brian Milne (First Light Associated Photographers), pages 4, 19, 27, 30; J.A. Wilkinson (Valan Photos), 7, 41, 42; Dennis Schmidt (Valan Photos), 8; Bill Ivy, 11; R.C. Simpson (Valan Photos), 12; J.D. Markou (Valan Photos), 15; Barry Ranford, 16; Tim Fitzharris (First Light Associated Photographers), 20, 24; T.W. Hall (Parcs Canada), 23; J.D. Taylor (Miller Services), 28, 32; Thomas Kitchin (Valan Photos), 35; Stephen J. Krasemann (Valan Photos), 36; M.J. Johnson (Valan Photos), 39, 44.

Imprimé en Espagne